DE VERLEGENSTRAAT

CIP-gegevens: Koninklijke Bibliotheek Albert I
© Tekst: Rien Broere
© Illustraties en omslagtekening: Riske Lemmens
Druk: Oranje, Sint-Baafs-Vijve

© 2008 Uitgeverij De Eenhoorn bvba, Vlasstraat 17, B-8710 Wielsbeke

D/2008/6048/23
NUR 283
ISBN 978-90-5838-481-2

NEDERLANDSE
KINDERJURY
2009

www.eenhoorn.be

Rien Broere

De Verlegenstraat

Met tekeningen van Riske Lemmens

UITGEVERIJ
DE EENHOORN

Het tringelingelingvinkje

Fleur is de weg kwijt.

Opeens weet ze dat het zo is. Eerst liep ze nog gewoon rond. Ze keek naar de huizen en naar de mensen die voorbijkwamen. Ze luisterde naar de geluiden die van alle kanten kwamen aangezweefd. Het zoeven van autobanden op het asfalt. Het hoesten van een oud brommertje.

En soms was het even stil.

Eén keer klonk er in die stilte ineens een vogel. Het beestje maakte een geluid als van een mobiele telefoon die afgaat. Fleur moest lachen toen ze het hoorde. Niet zozeer vanwege het geluid, maar meer door de gedachte die opeens haar hoofd vulde. Ze zag een bontgekleurd vogeltje met zijn vleugels slaan. Eén van zijn pootjes drukte een piepklein telefoontje tegen zijn oor. Fleur bedacht een naam voor het telefoonvogeltje. Het mobielmusje, verzon ze. Of het telefoonfluitertje. Het tringelingelingvinkje. De ene naam na de andere fladderde door haar hoofd.

En toen was ze opeens de weg kwijt. En niet zo'n beetje ook. Er is geen huis dat haar bekend voorkomt. Geen voordeur die ze herkent. Fleur blijft staan. Ze kijkt nog eens goed om zich heen. Is ze nu net uit die ene zijstraat gekomen? Of was het toch die andere? Ze loopt een stukje terug. Ook de zijstraten zijn nieuw voor haar. Ze kan zich niet herinneren daar langsgekomen te zijn. Misschien moet ik ook niet teruggaan, bedenkt ze. Misschien moet ik juist verder doorlopen. Misschien loop ik namelijk gewoon in een kringetje rond.

Fleur hoopt maar dat het zo is. Maar als ze nog eens tien minuten doorgestapt is, moet ze toegeven dat ze verdwaald is. In deze straten is ze nog nooit eerder geweest. Het ziet er hier ook helemaal niet meer zo vriendelijk uit. De huizen lijken veel hoger dan die in haar buurt. Donkerder. Het lijkt wel of ze zich een beetje dreigend over haar heen buigen.

Het lijkt hier ook veel stiller dan ergens anders. De hele straat is leeg. Nou ja, ze staat vol met geparkeerde auto's. Er staat een halfgesloopte fiets, met een ketting aan een lantaarnpaal vastgemaakt. Maar er is geen mens te zien.

Of toch!

Even verderop gaat knarsend een voordeur open. Een paar zilvergrijze, metalen buizen rollen naar buiten. Het zijn de poten van een looprek, met vier wieltjes eronder. Er komt een krom omaatje achteraan geschuifeld. Voorzichtig maakt ze een bibberig handje van het handvat los. Daar trekt ze de deur achter zich mee dicht. Dan grijpt ze haar hulpstuk weer beet. Met voorzichtige schuifelvoetjes komt ze in Fleurs richting gelopen.

Fleur haalt diep adem. Ze trekt een zielig gezicht en laat haar armen naast haar lichaam bungelen. Zo wacht ze tot het omaatje vlak bij haar is.

'Ahum,' kucht ze zacht.

Het oude vrouwtje kijkt niet op of om. Ze let alleen op de stoeptegels. Als Fleur niks doet, schuifelt ze haar zomaar voorbij.

'AHUM!' toetert Fleur.

Het oude vrouwtje blijft staan. Langzaam draait ze haar gezicht naar Fleur. Haar hoofd schudt een beetje. Eigenlijk bibbert en rilt haar hele lijf.

'Zo,' zegt ze. 'Jij bent flink verkouden!'

'Ik ben de weg kwijt,' zegt Fleur zacht. Ze trekt weer

snel haar kijk-mij-eens-zielig-zijn-gezicht.

'De weg kwijt,' herhaalt het oude vrouwtje. 'Juist ja. En hoe zag hij eruit?'

'Huh?' zegt Fleur. 'Hoe bedoelt u?'

'Zoals ik het zeg,' zegt het oude vrouwtje. 'Hoe zag die weg eruit?'

'Weet ik veel.' Fleur haalt haar schouders op. 'Asfalt. Stoepen aan de zijkant, en huizen.'

Wat een gekke vraag.

'En waar heb je hem verloren?'

Fleur kijkt de vrouw verbaasd aan. Meent ze dit allemaal? Of staat ze haar voor de gek te houden?

'Ik ben de weg kwijt, mevrouw,' zegt ze nog maar eens.

'En ik heb hem niet gevonden,' zegt het oude vrouwtje. 'Beter op je spullen letten, kind.'

Ze richt haar blik weer op de grond. Dan duwt ze het looprek voor zich uit. Met sloffende pasjes loopt ze van Fleur weg. Fleur is te verbaasd om er iets over te zeggen. Ze kijkt het oude vrouwtje na. Toch moet ze er zachtjes om grinniken.

Eventjes. Want dan bedenkt ze dat ze ondertussen nog altijd verdwaald is.

Had ik nu maar een mobieltje, denkt ze. Ze heeft er al

vaak genoeg over gezeurd. Maar haar ouders vinden het nergens voor nodig. Echt zo'n grote-mensen-antwoord vindt Fleur dat. 'Nergens voor nodig!' Je kunt zeuren wat je wilt, het gebeurt toch niet, bedoelen ze daarmee.

Maar Fleur merkt nu maar al te goed dat zo'n telefoontje wél ergens voor nodig is. Voor als je pas verhuisd bent, bijvoorbeeld. Dan kun je tenminste naar huis bellen, als je verdwaald bent.

Hier staat ze dan! Moederziel alleen in een doodstille buurt.

Ze begint zich nu toch echt een beetje ongerust te maken. Verdwaald zijn moet ook weer niet te lang duren. Dan ziet ze dat er in de verte een man de hoek om komt. Fleur voelt een opgeluchte glimlach aan haar mondhoeken trekken. Nu kan ze de weg vragen, en dan is haar probleem zo opgelost.

Als de man met grote, zware passen dichterbij komt, voelt Fleur haar maag een beetje ineenkrimpen. De man is zo kaal als een knikker. Zijn nek is net zo dik als zijn hoofd. Hij draagt een gouden ketting waar het zonlicht vanaf afvonkt. De man komt steeds dichterbij. Hij kijkt haar aan alsof hij ergens heel erg boos over is. Hij kijkt haar aan alsof hij zomaar een hap uit Fleurs neus zal nemen. Hij is nu zo dichtbij, dat ze kan zien dat er een slang over zijn onderarm kronkelt. Die is erop getatoeëerd. Fleur slikt een paar keer. Ze probeert haar angst weg te slikken. Ze moet nu heel snel kiezen. Bang zijn en stilletjes wachten tot de man voorbij is. Of flink zijn en hem rechtuit de weg vragen.

'Meneer,' mompelt ze.

Ze kijkt naar de punten van haar schoenen. Onmiddellijk blijft de man staan. Fleur slaat haar ogen naar hem op en schrikt. Wat is hij groot, zo van dichtbij! En breed! En kaal! Fleur slikt nog maar eens, en kijkt snel weer naar de grond.

'Wat is er?' Zijn stem is zacht en vriendelijk. Ongevaarlijk.

'Ik ben de weg kwijt.'

'O jee,' zegt de man. 'Misschien kan ik je helpen. Waar moet je zijn?'

'Thuis,' zegt Fleur.

'Ja, dat snap ik,' grijnst de man. Hij lacht zijn boze fronsen weg. Zo ziet hij er al veel minder angstaanjagend uit. 'Maar waar ís thuis?'

'Als ik dat wist,' zegt Fleur.

'Ik bedoel, hoe heet de straat waar je moet zijn?'

Nu krijgt Fleur het opeens echt warm. Ze weet niet eens meer hoe haar nieuwe straat heet! Ze heeft ook zo'n moeilijke naam.

'Weet ik niet meer.'

Tot achter haar oren gloeit ze van schaamte. Ze voelt zich opeens zo dom. Alsof ze op school een beurt krijgt en ze haar huiswerk niet geleerd heeft. Alsof ze niet eens weet over welk vak ze overhoord wordt.

'Tja, dan wordt het lastig om je te helpen,' zegt de man.

'Ik woon hier nog maar pas,' begint Fleur snel uit te leggen. 'De straat heeft een heel rare naam. Ik ging gewoon een eindje lopen. En toen was ik opeens verdwaald. Als ik nou maar een mobieltje had...'

'O, maar wacht eens,' onderbreekt de man haar. Hij stopt zijn hand in zijn zak en vist er een telefoontje uit. 'Asjeblieft. Bel maar even naar huis.'

Het telefoontje is maar net iets groter dan Fleurs hand.

'Eerst het nummer intoetsen en dan op het groene knopje duwen,' helpt de man.

11

Helemaal automatisch toetst haar wijsvinger een voor een de cijfers in. Ze duwt het ding tegen haar oor en luistert hoe er in de verte een bel overgaat. Onverwachts klinkt er geklik en gekraak. Een vrouwenstem zegt iets.

'Mam?' roept Fleur. 'Mam, met mij.'

'Hallo?' hoort Fleur. 'Met wie spreek ik?'

'Met mij! Mam, ik ben de weg kwijt. En nu sta ik hier...'

'Is dit bedoeld als grap of zo?'

Haar moeder klinkt zo boos dat Fleur haar stem niet eens herkent.

'Mam, ik ben het, Fleur,' herhaalt ze nog maar eens.

'Ga je eigen moeder pesten,' zegt de stem.

Met een klik wordt de verbinding verbroken.

'Opgehangen,' zegt Fleur verbaasd.

Ze staart naar het telefoontje in haar hand. Dan is het alsof haar opeens iets te binnen schiet. Iets wat haar nog veel meer verbaast.

'Maar...' begint ze. 'Dat was mijn moeder helemaal niet!'

'Het verkeerde nummer,' zegt de man.

Hij pakt het telefoontje uit Fleurs hand. Hij drukt op

een knop en begint dan cijfer voor cijfer het nummer dat Fleur gekozen heeft voor te lezen.

'Nee, hoor,' zegt Fleur. 'Dat is goed. Dat is ons nummer. Dus...'

Fleur slaat haar hand voor haar mond. Een paar minuten geleden voelde ze zich nog gloeien. Nu schaamt ze zich zo, het voelt alsof ze licht geeft.

'Eh... Ik... Eh...' hakkelt ze. 'Ik heb per ongeluk ons oude nummer gebeld. Van ons vorige huis. Die mevrouw was mijn moeder helemaal niet.'

De man lacht zo hard dat zijn geschater de hele straat lijkt te vullen. Fleur lacht zuinigjes met hem mee. Pas na een tijdje komt de man weer tot bedaren.

'Sorry, hoor,' zegt hij. Hij veegt met de slang op zijn arm onder zijn ogen langs. 'Eh, ja, nu zitten we wel met een probleem, hè.'

Zeg dat wel, denkt Fleur. Maar ze knikt alleen maar.

'Wacht eens,' zegt de man dan. 'Misschien heeft die mevrouw jullie oude nummer overgenomen en woont ze in jullie oude huis. Dan weet ze vast ook jullie nieuwe adres. Om eventueel post na te sturen en zo.'

'Ja?' zegt Fleur vragend. Ze begrijpt niet goed hoe dat haar zou kunnen helpen.

'Dus bel je haar nog een keertje,' gaat de man verder. 'En dan vraag je aan haar wat je nieuwe adres is.'

Dit vindt Fleur zo'n goed plan dat haar mond er languit van gaat glimlachen.

'Of nee, wacht,' zegt de man. 'Straks denkt ze dat je haar nog eens voor de gek wilt houden. Ik kan beter zelf bellen.'

De man drukt op een knopje. Hij houdt het toestel tegen zijn oor. Zijn ogen dwalen in het rond. Dan begint hij te praten. Rustig en beleefd legt hij kort uit wat er daarstraks gebeurde. Ten slotte vraagt hij of zij het nieuwe adres van Fleur weet.

Het blijft even stil. De man knikt een paar keer. Met een hartelijk 'Dank u wel' neemt hij afscheid.

'Ik weet het,' lacht hij tegen Fleur. 'Je woont nu in de Verlegenstraat.'

'Hè?' zegt Fleur.

Ze weet helemaal niet dat ze daar woont. Haar straat heeft toch een veel moeilijkere naam?

'Ja,' zegt de man, 'zo noemen we die straat. Eigenlijk is het de naam van een Franse schilder. Fernand Léger.'

Leezjee, hoort Fleur hem zeggen. En nu herkent ze de naam wel. Dat is inderdaad haar nieuwe straat.

'Om de een of andere reden zijn ze die de Verlegen-straat gaan noemen,' gaat de man verder.

'Dat ga ik nog wel eens uitzoeken,' zegt Fleur.

'Groot gelijk,' zegt de man. 'Maar dan zal ik je eerst vertellen hoe je er komt.'

En met wijde armzwaaien begint hij uit te leggen hoe Fleur moet lopen.

Verliefd

Fer. Légerstraat, ziet Fleur op het straatnaambordje. Nu ze het leest begrijpt ze meteen hoe de straat aan haar andere naam komt. Als je de naam hardop uitspreekt, klinkt hij ook zo: Verlegenstraat. De Verlegenstraat is een brede, stille straat. De auto's die er komen zijn bijna allemaal van mensen die er wonen. Dat is prettig. Dan kun je tenminste veilig buiten spelen, zonder gevaar te lopen meteen ondersteboven gereden te worden.

In de Verlegenstraat is geen enkel huis hetzelfde. Het is al een oude straat, met oude huizen. Dat is ook de reden waarom ze juist hierheen verhuisd zijn. Haar ouders wilden al heel lang een oud huis. Toen ze dit huis zagen, zeiden ze meteen dat ze er verliefd op waren.

Van verliefd-zijn raak je een tikkeltje in de war, begreep Fleur. Haar vader en moeder spraken alleen nog maar over hun nieuwe huis. En telkens als ze erover praatten, hadden ze zo'n eigenaardige blik in hun

ogen. Alsof ze droomden. Ze keken een beetje glazig, vond Fleur. Tegen iedereen die ze kenden, begonnen ze erover. Hoe geweldig het huis wel niet was. En hoe oud en hoe mooi. En dat Fleurs moeder nu eindelijk een grote zolder had om haar hobby uit te oefenen. Fleurs moeder maakt schilderijen. Hoe groter, hoe liever. En het liefst in knetterende kleuren. Fleur vond het maar raar. Verliefd op een huis, hoe kan dat nou? 'Ga je ermee trouwen dan?' had ze haar vader gevraagd.

Hij leek het niet eens een rare opmerking te vinden. 'Mee trouwen niet,' zei hij heel serieus. 'Maar we gaan wel samenwonen.'

En hij maakte er een rondedansje achteraan. Vanaf dat moment wist Fleur het zeker. Zíj wordt nooit verliefd. Niet op een huis. En op jongens al helemaal niet.

Het had nog maanden geduurd voor ze hun oude huis verlieten.

'We moeten het nieuwe huis eerst nog een beetje opknappen,' had Fleurs vader gezegd.

Nou, noem dat maar een beetje. Wat een puinhoop! Het leek wel of ze het vanbinnen helemaal afbraken.

En zelfs de buitenkant werd onder handen genomen. 'Het moet een huis worden waar je al vrolijk van wordt als je het nog maar ziet,' zei Fleurs moeder. 'Dus gaan we het houtwerk een paar frisse kleurtjes geven.' Zo komt het dat hun nieuwe oude huis er toch heel modern uitziet. Een huis dat meteen opvalt in de straat. Daar houden ze wel van, bij Fleur thuis. Van opvallen. Toen ze eindelijk gingen verhuizen, was de verbouwing nog steeds niet helemaal af. Daarom gingen ze zolang in hun camper wonen. Die staat nu aan het eind van de straat, op een grasveldje.

'Onze camper is toch veel te klein om in te wonen?' had Fleur gezegd.

'Ach,' had haar moeder geantwoord. 'Het is maar voor een week of zo.'

'Het is gewoon net alsof we op vakantie zijn,' voegde haar vader eraan toe. Hij zei het zo vrolijk, dat het net was alsof hij er zelf in geloofde.

'Hoef ik dan ook niet naar school?' vroeg Fleur.

'Tuurlijk wel,' zeiden haar vader en moeder haast meteen in koor.

'Maar als het vakantie is, hoef ik toch niet naar school?' zei Fleur.

'Ja, hè hè,' zuchtte haar vader. 'We doen net alsof.'

'Nou, dan doe ik net alsof ik naar school ga.'

'Nu moet je niet moeilijk gaan doen, Fleur,' zei haar moeder.

Moeilijk doen? Fleur? Het zijn haar ouders die moeilijk doen! Ze hebben een kast van een huis – en dan gaan ze in een camper zitten.

'Ik vind het stom,' hield Fleur vol. 'Als het geen vakantie is, wil ik in een huis wonen. Met een eigen kamer. En met televisie. In een camper op een grasveldje ergens in een straat staan is stom.'

'Pech gehad,' had haar vader gezegd.

En 'pech gehad' is net zo'n grote-mensen-opmerking als 'nergens voor nodig'.

En dus woonden ze nu in de camper. Maar Fleur had wel gelijk gehad, vindt ze zelf. Er is weinig vakantie-achtigs aan. De camper is gewoon heel krap voor drie mensen. En dat ene weekje waren er nu al ruim twee.

In het midden van de Verlegenstraat is de stoep extra breed. Net alsof er een half pleintje aan vastzit. Daarop staat een indrukwekkende boom. Die boom is vast nog veel ouder dan de huizen. Aan de voet van de boom staan bankjes in een cirkel. Bij die banken staat een groepje kinderen. Nou ja, staan... Ze zitten op de rugleuning, of ze staan stoer met één voet erop.

Als Fleur de kinderen ziet, voelt ze een vreemd soort pijn. Alsof er een zwaar gewicht op haar borst drukt. Dat komt doordat ze aan haar vriendinnen moet denken. De vriendinnen die ze had voor ze verhuisde. Ze mist hen heel erg. Zo erg, dat het een beetje pijn doet. Met de kinderen uit de Verlegenstraat kan ze maar geen vrienden worden. Ze weet niet hoe het komt. Om een of andere reden lukt het gewoon niet. Terwijl ze toch net zo doet als in haar oude buurt.

Fleur herinnert zich nog goed de allereerste keer dat ze de kinderen in de Verlegenstraat ontmoette. Toen stond er ook een groepje bij de boom te kletsen. Fleur ging naar hen toe. Op de manier zoals ze dat gewend was. Levendig en vrolijk. Blij om anderen te zien. En dus had ze op weg naar het groepje een serie radslagen achter elkaar gemaakt. Een goed gelukte serie, vond ze zelf. Fleur is nu eenmaal heel lenig. Daar kan ze niks aan doen, maar dat wil ze graag laten zien. Het groepje kinderen had haar heel koeltjes staan aankijken.

'Hoi!' had Fleur lachend gegroet. 'Ik ben Fleur en ik ben nieuw in de straat. Ik kom daar te wonen.' Ze had naar de kleurige gevel van hun nieuwe huis gewezen. 'Mag ik met jullie meedoen?'

'Wij zijn niks aan het doen,' had een van de kinderen gezegd. Later zou Fleur ontdekken dat zij Kim heet. 'We staan gewoon een beetje te kletsen.'

'Ook goed,' zei Fleur.

En stilletjes had ze zich bij het groepje aangesloten. Maar veel gekletst werd er niet. Iedereen stond er maar een beetje verloren bij. Het leek wel alsof ze vanuit hun ooghoeken Fleur stonden te beloeren.

'Wat vind je van mijn haar?' had Fleur aan een meisje naast haar gevraagd. Ze zei het om de stilte te doorbreken. Sinds een paar weken had Fleur een paar gekleurde plukken in haar haar. Eén pluk rood en eentje donkerblauw. Staat wel grappig, vindt ze zelf.

Het meisje had haar met een beetje een vies gezicht aangekeken.

'Ik weet het niet,' zei ze ten slotte. 'Er zit verf in.'

'Ja, leuk hè?' had Fleur gezegd.

Een paar andere kinderen begonnen zachtjes te proesten. Misschien had er net iemand iets grappigs gezegd.

Iets wat Fleur niet verstaan had. Nog zeker een paar minuten had Fleur zwijgend afgewacht. Ze begon zich steeds ongemakkelijker te voelen. Het leek wel of het door haar kwam dat er opeens niks meer gezegd werd.

'Jeetje, wat een duf zootje,' had ze er uitgeflapt. 'Zullen we eindelijk eens iets gaan doen?'

'Wat wou je gaan doen?' vroeg Kim.

'Weet ik het,' zei Fleur. 'Wie het langst op zijn handen kan staan, is dat wat?'

Ze had het antwoord niet afgewacht. Ze had zich voorovergebogen en haar handen plat op de grond gezet. Met één afzet van haar voet had ze allebei haar benen omhooggezwaaid. Even later stond ze in een kaarsrechte handstand. Een staaltje vakwerk, vond Fleur zelf. Met een even sierlijk sprongetje wipte ze weer rechtop op haar voeten.

'Kun je ook op je handen lopen?' had Kim gevraagd. Fleur meende bewondering in haar stem te horen.

'Natuurlijk wel,' zei ze.

'Van hier tot die blauwe auto?' vroeg Kim.

'Puh, makkie,' had Fleur gezegd.

Ze had snel gekeken waar die auto stond. Het was een behoorlijk eindje. Maar ze wilde zich niet laten kennen. Ze zou haar nieuwe vrienden wel eens iets laten zien!

'En daar dan tien tellen stil blijven staan?' zei een van de jongens.

Geen probleem, knikte Fleurs hoofd.

'Met je ogen dicht?' vulde een ander aan.

Alsof dat zoveel moeilijker was.

'Let maar eens op,' zei Fleur.

Als een echte acrobaat maakte ze opnieuw een handstand. Even bleef ze zo staan, tot ze voelde dat ze goed in evenwicht was. Toen verzette ze haar rechterhand. Toen haar linker. Toen weer haar rechter. In een paar tellen wandelde ze in een stevig tempo naar de blauwe auto. Soms zette ze haar hand precies op een plek waar iets hards lag. Dat deed wel even pijn, maar ze liet niets merken. Ze deed alsof het de gewoonste zaak van de wereld was, op je handen lopen. Alsof ze elke dag op deze manier van huis naar school ging. En zo ook weer terug. Bij de blauwe auto bleef ze staan. Het leek alsof ze elk spiertje in haar armen kon voelen. Maar Fleur beet haar tanden op elkaar en sloot haar ogen.

'Eén,' telde ze tussen haar opeengeklemde tanden

door. 'Twee. Drie. Vier...' Pas bij tien liet ze een zucht ontsnappen. Minder soepel dan daarstraks liet ze zich weer op haar voeten zakken.

'En nou jullie,' zei ze, terwijl ze zich omdraaide. 'Nu wil ik...'

De laatste woorden bleven in haar keel steken. Een meter of tien van haar vandaan stond de boom. En de bankjes. En verder niets. Geen kind te bekennen. Terwijl zij op haar handen bij de blauwe auto stond, waren ze er muisstil vandoor gegaan.

'Haha,' lachte Fleur hardop.

Ze lachte zo vrolijk mogelijk. Ze wilde laten merken dat ze wel snapte dat ze een grap met haar uithaalden. Maar het was een grapje dat lang duurde. Na een paar minuten was er nog altijd niemand die zich liet zien.

'Nou,' riep ze ten slotte in het wilde weg. 'Ik moet nu echt weer eens naar de camper, hoor. Ik zie jullie straks nog wel.'

En ze was de straat uit gelopen. Zonder nog een keer om te kijken. Maar dat hoefde ze ook niet te doen. Ze voelde zo wel dat er helemaal niemand was die naar haar keek.

Kikkerbillen

Om bij de camper te komen, moet Fleur de hele straat door. Dan moet ze dus ook langs het groepje bij de boom. Even denkt ze erover om om te lopen. Misschien hebben ze me al wel gezien, beseft ze. Dan gaan ze straks nog denken dat ik bang voor hen ben of zo. Fleur is nog nooit voor andere kinderen omgelopen. Ze is zelfs nog nooit voor andere kinderen bang geweest.

'Bang?' zegt ze hardop in zichzelf. 'Ik ben niet bang. Waarom zou ik?'

Met een huppelpasje loopt ze op het groepje af. Niet dat ze zich opeens zo vrolijk voelt. Het is meer een manier om aan zichzelf wijs te maken dat er eigenlijk niks bijzonders aan de hand is. Als ze dichterbij is gehuppeld, ziet ze wie er allemaal zijn. Thijs en Anna zijn er, de tweeling die helemaal niet op elkaar lijkt. Rik is er ook. En Linda. En Kim.

Bij het zien van Kim schrikt Fleur toch weer een beetje. In de voorbije weken heeft ze gemerkt dat Kim de aanvoerder van de hele club is. De andere meisjes laten haar altijd eerst kiezen wat ze zullen doen. En een heleboel jongens doen aanstellerig aardig tegen haar. Niet dat Kim iets echt vervelends heeft gedaan. Het is meer de manier waarop ze naar Fleur kijkt. Die zorgt ervoor dat Fleur het liefst een eindje bij haar vandaan blijft.

Maar ja, Kim lijkt er altijd bij te zijn, bij de anderen. En altijd is ze het middelpunt. Als een potje stroop waar de rest als een zwerm bijen omheen zoemt. Fleurs huppelpasje wordt steeds minder uitbundig. De laatste meters loopt ze gewoon.

In haar oude buurt was Fleur gewend dat iedereen haar groette. Daar waren haar vriendinnen blij haar te zien. Hier zegt er nauwelijks iemand iets. Alleen Thijs lacht even naar haar en Anna mompelt een onverstaanbare groet. Fleur sluit aan de rand bij het groepje aan. Ze zegt niets. Ze moet eerst maar erachter zien te komen waarover het gesprek gaat. Ze wil niet weer plompverloren iets zeggen.

De blik waarmee Kim haar toen aankeek! Alsof Fleur een langdradige gifgroene snottebel aan haar neus had hangen.

'Ik mag alleen vissen houden van mijn moeder,' zegt Linda. 'Dat komt, mijn broertje is, eh... hoe heet het, eh... hij is asperges voor kattenharen.'

'Asperges?' zegt Kim spottend. 'Dat heet allergisch, hoor, als je niet tegen haren kunt.'

'Die kun je eten,' zegt Rik.

'Kattenharen?' lacht Thijs.

'Nee, gek, asperges! Dat zijn van die lange witte dingen. Net stokjes.'

'Ik heb wel eens kikkerbilletjes gegeten,' zegt Fleur.

'Getsie!' Anna laat haar neus rimpelen van afschuw.

'Liep je daarom zo gek?' vraagt Kim.

Fleur haalt haar schouders op. Ik zeg al niks meer, denkt ze. Een paar huizen verderop zet iemand de radio heel hard. Pianogepingel wringt zich langs het open raam naar buiten. Fleur glimlacht als ze de klanken herkent. Op dat liedje heeft ze op haar oude school nog eens gedanst. Samen met twee andere meisjes. Op een toneelavond. Er hoort een speciaal dansje bij. Dat hadden ze pasje voor pasje van een tv-clip nagedaan.

'Eén, twee...' telt Fleur in zichzelf. 'Drie!'

Met zware slagen valt de drummer in. Het is alsof de

28

muziek bij Fleur naar binnen druppelt. Als vanzelf begint ze op de klanken te bewegen. Eerst een paar keer wiegelen met haar heupen. Dan wat soepel gedraai met haar schouders. Het gaat nog steeds helemaal vanzelf, zo vaak heeft ze het geoefend. Spontaan klapt ze in haar handen. Vijf keer. Op de laatste slag met haar linkervoet een stap opzij, en dan langzaam haar rechtervoet erbij slepen.

Het gesprek van de groep is verstomd. Ze staren haar aan.

Nu komt het moeilijkste onderdeel. Het is de bedoeling dat er een soort golfbeweging door haar lichaam gaat. Te beginnen bij haar benen. Fleur laat haar knieën wiebelen. Ze schommelt met haar heupen. Via haar bovenlichaam zet de golving zich door naar haar schouders. Van daaruit eindigt het in een kronkeling van haar hooggeheven armen.

Als je het de danseressen op tv ziet doen, zien ze eruit alsof ze helemaal van elastiek zijn. Bij Fleur ziet het er misschien ietsjes houteriger uit. Maar al met al kwam de beweging er nog best soepel uit, vindt ze zelf. Als Fleur zo bezig is, vergeet ze haar omgeving. Ze denkt alleen nog maar aan de dans. Drie keer ach-

ter elkaar moet ze de golfbeweging maken.

'Hé,' zegt Rik. 'Word je niet goed?'

'Goed!' hoort Fleur – en ze doet er nog een schepje bovenop.

'Dat komt ervan, als je kikkerbillen hebt,' grijnst Kim. Fleur hoort het niet. Vanuit haar ooghoek ziet ze dat Linda en Anna ook beginnen te dansen. En even later staan ook Kim en Thijs en Rik te kronkelen. Ze kunnen er niets van, ziet Fleur. Ze staan heel overdreven te schudden en te wiebelen. En niet eens op de maat van de muziek. Aan het eind van het nummer hoort eigenlijk een luchtsprong. Die doet ze nog wel. Maar de landing in een soort spagaat laat ze op deze harde stoeptegels toch maar liever achterwege.

'Waar heb je dat geleerd?' vraagt Kim.

'Op mijn oude school,' hijgt Fleur. 'Ingestudeerd voor een optreden. Als je wilt, kan ik je de pasjes wel leren.'

'Nou,' zegt Kim. 'Nu nog maar even niet. Als ik het echt wil leren, merk je het vanzelf.'

'O,' zegt Fleur. 'Hoe dan?'

'Dan ga ik kwaken,' lacht Kim.

Blijkbaar is dat een heel leuk grapje. De anderen moeten er in elk geval hartelijk om schateren. Fleur wil wel

meelachen, maar verder dan een zuur grijnsje komt
ze niet.

'Ken je nog zo'n dansje?' vraagt Rik.

'Ik moet naar huis!' Fleur doet of ze schrikt. 'Ik moest
een halfuur geleden al thuis zijn. Ik ga, hoor. Dag!'

'Ach,' zegt Kim. 'Het is vlakbij. Een paar flinke spron-
gen en je bent er.'

Kale omaatjes

Ze wonen nu een paar weken in de camper. Fleur vindt het steeds vervelender worden. Kamperen in een camper is op zich heel leuk. Het heeft iets knus, iets gezelligs. Het grootste deel van de tijd brengt ze dan trouwens op de camping in de buitenlucht door. Maar erin wonen blijkt iets heel anders. En zeker als het al twee weken duurt. Je gaat je overal aan stoten. Je moet je de hele tijd bukken. Eigenlijk moet je de hele tijd opgevouwen leven.

Koken in de camper gaat met veel zuchten en steunen. En soms staat haar moeder boven de pannen woorden te mompelen die Fleur niet eens durft te dénken. Om het zichzelf makkelijk te maken, kookt Fleurs moeder meteen voor een paar dagen tegelijk. Spaghetti, meestal. Fleur heeft de afgelopen twee weken al zoveel spaghetti gegeten dat ze het gevoel heeft dat de slierten haar oren uit komen. Maar ze zegt er niets van. Ze kijkt wel uit. Fleur ploegt de tomatensaus door de slierten op haar bord.

'En wat heb jij op je vrije middag gedaan?' vraagt haar vader.

'O, gewoon,' antwoordt Fleur. 'Gespeeld.'

'Leuke kinderen, hier in de straat?' Fleurs vader wikkelt een hap spaghetti om zijn vork.

'Heel leuk,' zegt Fleur snel.

'Heb je al nieuwe vriendinnen?'

De vork verdwijnt in zijn mond. Er blijft altijd wel een spaghettisliertje buitenboord hangen. Fleurs vader zuigt het glibberend naar binnen.

'Een heleboel,' zegt Fleur.

'Toen ik vanmiddag naar het huis liep, zag ik een groepje bij de boom staan,' zegt Fleurs moeder.

'Daar spelen we meestal,' vertelt Fleur.

'Maar ik zag jou er niet tussen.'

'O, ja nou...' Fleur slikt een veel te grote hap in één keer door. Gelukkig is spaghetti heel glad voedsel. 'Toen was ik waarschijnlijk net even, eh, met Linda mee. Bij haar naar binnen.'

'Hebben ze een mooi huis?' vraagt Fleurs vader.

'Ja, hoor.'

'Je moet je nieuwe vriendinnen maar eens gauw mee naar ons nemen,' stelt Fleurs moeder voor.

'In zo'n kleine camper?' zegt Fleur.

'Als we klaar zijn met de verbouwing, bedoel ik.'

'O, ja. Dat doe ik echt wel.'

Fleur heeft geen zin in dat gepraat over haar zogenaamde nieuwe vriendinnen. Straks moet ze nog uitgebreid beschrijven hoe het er bij Linda binnen uitziet. Ze weet niet eens in welk huis Linda woont. Gelukkig schiet haar opeens een heel ander gespreksonderwerp te binnen.

'Ik zat te denken, mam,' begint ze. 'Ik zou toch eigenlijk een mobieltje moeten hebben.'

'O, nee hè,' verzucht haar moeder. 'Nu begin je toch niet weer met je gezeur!'

'Nergens voor nodig,' bromt haar vader al.

Maar daar heeft Fleur op gerekend. Ze heeft bedacht dat het wel degelijk ergens voor nodig kan zijn. Voor iets heel belangrijks nog wel.

'Ja maar, weet je, zo'n telefoontje kan misschien wel...' Fleur laat een korte stilte vallen, '...mijn leven redden!'

'O ja,' grinnikt haar vader. 'Ik zie het al voor me. Jij wordt op weg naar school in het nauw gedreven door een troep wilde leeuwen. En dan bel je gauw je moeder.'

35

'Nee, serieus!' houdt Fleur vol. 'Stel je voor dat ik, eh...
dat ik verdwaal of zo.'

Ze laat het klinken alsof het haar op dat moment te
binnen schiet.

'Verdwalen.' Haar moeder herhaalt het woord alsof ze
het proeft. 'Waar zou je hier nou kunnen verdwalen?'

'Hier in dit kleine hok al helemaal niet.' Fleurs vader
maakt een armzwaai waar de hele camper in past.

'Hier in de buurt,' zegt Fleur.

Bijna roept ze erachteraan: 'Dat is vandaag al ge-
beurd.' Maar gelukkig bedenkt ze zich net op tijd. Ze
heeft tenslotte net verteld dat ze de hele middag samen met vriendinnen was.

'We wonen niet in een jungle.' Fleurs vader schraapt
de laatste restjes saus naar de rand van zijn bord.

'Het zou toch kunnen!' Fleur geeft niet op. 'Ik ken deze hele stad niet. Ik zou de weg kwijt kunnen raken.
Wie weet in wat voor buurt ik dan terecht kom. Misschien wel een waar knettergekke omaatjes wonen. Of
enge kerels met kale koppen en griezelige tatoeages.'

'Ja, hoor,' lacht haar vader. 'Misschien wonen er wel
kale omaatjes met knettergekke tatoeages.'

'Ja maar, het zou toch kunnen!' Fleur zou wel met

haar vuist op tafel willen slaan. 'En dan zou het heel handig zijn als ik jullie op kon bellen.'

'Het zou handiger zijn als je niet verdwaalt,' vindt haar moeder.

Fleur laat fluitend een zucht ontsnappen. Soms valt er met haar ouders niet te praten, vindt ze.

'Doe nou eens even serieus,' zegt Fleur. 'Zo'n ding kan echt heel goed van pas komen.'

'Nergens voor nodig.'

Fleur voelt dat dit gesprek zijn einde nadert.

'Maar jullie hebben er zelf wel ieder een,' probeert ze nog.

'Voor mijn werk,' zegt Fleurs moeder.

'Voor als ik verdwaal,' zegt Fleurs vader.

Aan de grijns waarmee haar vader en moeder elkaar aankijken, merkt Fleur dat ze deze discussie verloren heeft. Opnieuw verloren.

Mormel

De avonden in de camper zijn helemaal saai. Geen televisie om naar te kijken. Geen computer om spelletjes op te doen. Vader en moeder te moe van de hele dag klussen om nog iets leuks met Fleur samen te doen. Het is vaak zo saai, dat Fleur ervan gaat geeuwen. En dus gaat ze meestal vroeg naar bed.

Fleur heeft haar tanden al gepoetst. Ze heeft haar pyjama aan. De blauwe. Met dat potloodje erop. Dat potlood heeft net het woord 'welterusten' geschreven. Helemaal alleen. Knap potloodje. Haar vader wijst ernaar.

'Dat gezeur over een telefoon en dat potlood, dat doet me denken aan een streek die wij vroeger eens hebben uitgehaald,' zegt hij.

'Laat dat kind toch lekker gaan slapen,' bromt haar moeder.

Fleur hoort aan haar toon dat ze eigenlijk bedoelt: 'Niet doen. Vertel dát verhaal maar niet.'

Nu wil Fleur het helemaal graag horen. Ze wringt zich

snel naast haar vader op het bankje. Hij slaat een arm om haar heen.

'Wij hadden vroeger thuis natuurlijk maar één telefoon,' vertelt hij. 'Maar dat was op zich al heel bijzonder. Lang niet iedereen had er toen een. Als mijn broer en ik een keer alleen thuis waren, gingen we wel eens stiekem iemand bellen.'

'Een vriendje?' vraagt Fleur.

'Nee, zomaar iemand. Op een keer belde mijn broer met de boekhandel. "Heeft u ook twaalf donkerblauwe kleurpotloden?" vroeg hij met zijn laagste stem. "Natuurlijk," zei de boekhandelaar. "Nou," zei mijn broer, "stop die dan maar in je oren." En toen hing hij snel op.'

'Nou,' valt Fleurs moeder op kordate toon in.

'Nee, het verhaal is nog niet uit,' vervolgt Fleurs vader. 'Een kwartier later belde ík met de boekhandel. Ook met mijn zwaarste stem, natuurlijk. "Bent u net gebeld door iemand die zei dat u twaalf potloden in uw oren moest stoppen?" vroeg ik. "Ja," zei de boekhandelaar meteen. "Nou," zei ik, "dan mag u ze er nu wel weer uithalen."'

Het bed van Fleur is een smal hok boven de bestuurderscabine van de camper. Ze past er nog maar net in. Er blijft zo weinig plaats over, dat er nog maar ruimte is voor één knuffel. Dat werd Mormel, natuurlijk. Die knuffel heeft ze van toen ze nog een baby was. Ze kreeg hem van tante Mieke, haar lievelingstante. Tante Mieke heeft de knuffel zelf gemaakt. Hij lijkt een beetje op een giraf met strepen.

'Het is een gibra,' heeft tante Mieke later uitgelegd. 'Eerst wou ik een zebra maken. Maar zijn nek werd zo lang dat hij meer op een giraf lijkt. Dus nu is het een gibra. Een heel zeldzaam beest, dat je alleen tegenkomt in de binnenlanden van Kwasiland. En dan alleen nog bij volle maan, als het pijpenstelen regent. Zijn kop is trouwens per ongeluk een beetje dik uit-

gevallen. Zijn pootjes eigenlijk ook. Gelukkig zijn ze net lang genoeg om op de grond te komen. Hoe die krul in zijn staart komt, weet ik zelf ook niet. Het is een mormel geworden.'

'Maar wel mijn lievelingsmormel,' had Fleur gezegd. Mormel is niet alleen zacht en schattig om te zien. Mormel is nooit boos of chagrijnig. Mormel zal Fleur nooit uitlachen. En ze kan alles tegen Mormel vertellen. Mormel luistert altijd. Als Fleur met hem praat, zegt hij in haar gedachten ook van alles terug. Maar altijd de goede dingen. De dingen die Fleur graag wil horen. En dat is ook wel eens plezierig.

Nu ligt Fleur met Mormel tegen zich aangeklemd doodstil te luisteren. Achter in de camper zijn haar vader en moeder met elkaar aan het fluisteren. Het begon als een gewoon gesprek. Zo zacht, dat Fleur er nauwelijks iets van kon verstaan. Maar haar vader en moeder zijn een beetje boos op elkaar. Daardoor zijn ze steeds harder gaan fluisteren.

'Je moet Fleur geen verkeerde voorbeelden geven,' zegt haar moeder.

'Zo'n onschuldig verhaaltje,' fluistert haar vader. 'Maak je toch niet overal zo druk om.'

'Ik maak me er wel druk om! Ik maak me overal druk
om. Ik moet wel. Jij bent de hele dag alleen nog maar
bezig in dat huis.'

'Dat doe ik ook voor jou, hoor!'

'Maar het is het enige wat je nog doet. Voor alle andere dingen ben je te moe. Ik sta daar ook een groot
deel van de dag met een kwast in mijn handen. Maar
ik kan ook nog eens de boodschappen doen. En naar
de wasserette. En koken. En zorgen dat dit priegelige
kampeerhok een beetje schoon blijft. En dan moet ik
er ook nog eens op letten dat je ons kind geen verkeerde voorbeelden geeft.'

'Is het weer zover?' zucht Fleurs vader.

'Wat?'

'Dat jij zo ver-schrik-ke-lijk hard werkt. En ik doe helemaal niks, zeker?'

'Jawel, jij werkt ook hard genoeg.'

'Nou dan.'

'Maar ik ook!'

Is het een zachte snik die Fleur hoort, of gewoon een
korte zucht?

'Hé,' zegt Fleurs vader. 'Kom eens hier.'

Even blijft het stil. Dan hoort Fleur haar moeder opschuiven. Fleurs vader begint weer te praten, maar nu zo zacht dat Fleur het niet meer kan verstaan. En dan zijn er opeens geluidjes die ze wél goed kan horen. Smakgeluidjes. Van smikkelzoentjes. Geluiden die ze helemaal niet wíl horen. Keelschrapend draait ze zich om. Ze stopt haar hoofd en dat van Mormel diep onder de deken.

'We hadden nooit moeten verhuizen,' fluistert ze in Mormels oor.

Nee, geeft Mormel geluidloos toe.

'Stom huis,' zegt Fleur.

Stomme camper, zegt Mormel.

'Stomme kinderen in de straat!'

Nou, vindt ook Mormel. *Heel, heel, heel stomme kinderen.*

'Kom hier,' fluistert Fleur. Ze drukt Mormel tegen zich aan. 'Kusje.'

Ze duwt haar lippen op Mormels oor. Een zacht smakgeluidje. Maar ja, de ene zoen is de andere niet.

Hoofdpijn

Fleur is ten einde raad. Nog een week is er voorbijgegaan, en alles gaat mis.

Op haar nieuwe school gebruiken ze heel andere boeken dan ze gewend is. Ze heeft soms het gevoel dat ze de helft niet snapt.

Met spelling lukt het nog wel. Dictees hebben blijkbaar op alle scholen zinnen als: *Vijftig vlijtige meisjes breiden op een vrije vrijdagmiddag een broek met wijde pijpen en daarbij ook nog zes geinige kleine eierwarmers.*

Maar met rekenen beginnen de problemen al. In het rekenboek van haar nieuwe school doen ze veel aan verhaaltjessommen. Op haar oude school kreeg ze die bijna niet. En dan geeft de juf net haar een beurt, natuurlijk. Fleur leest de som voor.

'Fietser A vertrekt om 10.15 u uit B met een snelheid van 12 kilometer per uur. Fietser C vertrekt om 10.30 u uit D met een snelheid van 15 kilometer per uur. Hoe laat komen ze elkaar tegen in E?'

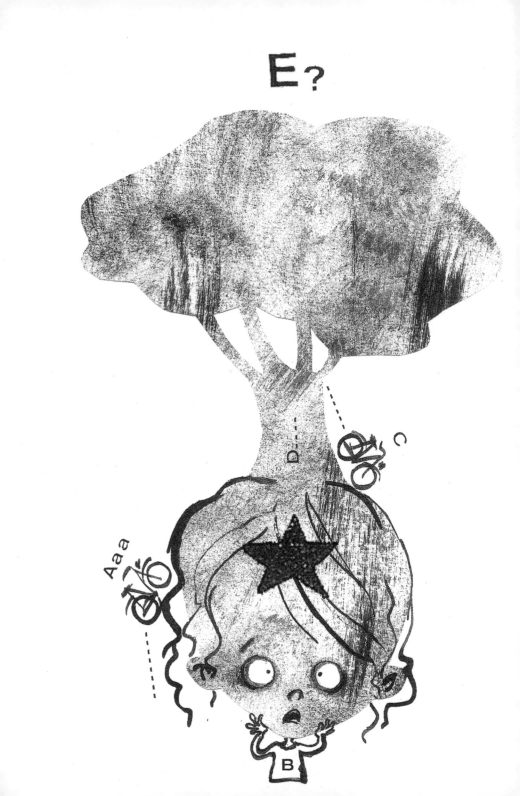

'Nou?' zegt de juf, alsof Fleur het antwoord zomaar even uit haar mouw kan toveren.

'Tja...' piekert Fleur. 'Eh... wie van de twee heeft er wind mee?'

Hier en daar klinkt gegiechel in de klas.

'Wind mee?' herhaalt de juf. 'Wat heeft de wind er nou mee te maken?'

Sorry, hoor, bedenkt Fleur. Ze wilde alleen maar een beetje tijdrekken. Een beetje extra tijd winnen om na te denken. Maar in plaats dat het lukt om beter na te denken, lijken haar gedachten op een hoopje in een hoekje van haar hoofd te kruipen.

'Kom op,' dringt de juf aan. 'Hoe laat komen ze elkaar tegen?'

'Kwart voor drie?' probeert Fleur snel.

Er klinkt nu nog meer onderdrukt gelach. Blijkbaar heeft ze iets stoms gezegd.

'Kwart voor drie?' herhaalt de juf op verbaasde toon. 'Hoe kom je daarbij?'

Fleur haalt nauwelijks zichtbaar haar schouders op. Weet zij veel?

'Omdat... eh... omdat ze op die tijd hebben afgesproken?'

Aan het gelach dat nu de klas vult, is weinig stiekems meer. Zelfs de juf staat breeduit te grijnzen. Fleur vindt het leuk als mensen om haar lachen. Maar niet op zo'n manier. Dit is uitlachen, voelt ze. Ze wou maar dat ze hier ver vandaan was. Ze wou maar dat zíj op de fiets zat. Dan zou ze met een snelheid van 30 kilometer per uur hier vandaan racen.

De verbouwing duurt nog altijd voort. Ze wonen nog steeds in de camper. Fleur verlangt naar een eigen kamer. Een plekje om alleen te kunnen zijn. En ze wil weer eens televisie kijken en op de computer spelen. Maar het ergste is wat er gebeurt tussen haar en de kinderen in de straat.

Alles wat ze tot nu toe heeft gedaan om vriendschap te sluiten, pakte verkeerd uit. Na die keer dat ze met haar dansje voor gek stond, heeft ze het nog één keer geprobeerd. Maar ook toen ging het mis. Ook toen deed ze weer precies het verkeerde. Zelf heeft ze het gevoel dat ze niet anders doet dan ze altijd heeft gedaan. Om een of andere reden vinden de kinderen van de Verlegenstraat daar niks aan. Haar oude vriendinnen zouden overal hartelijk om gelachen hebben.

De kinderen hier zien er de humor niet van in. Ze bekijken haar alsof ze een grote aanstelster is.

Fleur is gewoon zichzelf! Ze doet zoals ze is, ze is zoals ze doet.

Die allerlaatste keer ook weer. Ze stonden met de hele club kinderen bij elkaar. Druk gekwebbel. Zolang Fleur niks zei, was er niets aan de hand. In de verte naderde een man. Hij waggelde een beetje. Dat kwam door zijn buik. Die droeg hij als een ballon voor zich uit. Iedereen keek naar hem. Niemand zei iets.

'Dag dikke meneer!' floepte Fleur eruit. Niet zo heel erg hard, hoor. De man kon het waarschijnlijk niet eens verstaan. Het was ook alleen voor de oren van de kinderen bestemd. 'Dag dikke meneer. Wordt het een drieling of een vierling?'

Fleur weet zeker dat haar oude vriendinnen daarom gegiecheld zouden hebben. De kinderen van de Verlegenstraat niet. Ze keken elkaar aan alsof ze een kip zagen kanoën.

'Vind je dat grappig?' had Kim ten slotte gevraagd.

Wat moest Fleur daar nu op zeggen? Ze wist niks beters te doen dan onhandig haar schouders op te halen.

'Dat is toevallig wel Riks vader, hoor!'

Heel even leek Rik te gaan lachen, maar toen begon hij snel en driftig ja te knikken en boos te kijken. Fleur was er wel van geschrokken. Dat kon zij toch niet weten? Ze kon zich wel voor haar kop slaan. Maar daar krijg je ook alleen maar hoofdpijn van. Dus deed ze het enige wat ze voor haar gevoel kón doen: zodra ze het idee had dat er niemand op haar lette, sloop ze ervandoor.

Sinds die keer loopt ze met een grote boog om Kim en Rik en Thijs en Anna en alle andere kinderen heen. Maar het allerergste is misschien nog wel dat ze er thuis niks over kan zeggen. In het begin deed ze zo enthousiast over haar zogenaamde nieuwe vriendinnen.

'O ja, zo leuk gespeeld,' zei ze, als haar moeder weer eens had gevraagd of ze plezier had gehad.

'O ja, we hebben zo gelachen.'

'Ik heb hun dat dansje geleerd.'

'Linda laat misschien haar haar verven, net als dat van mij.'

Het ene leugentje heeft ze op het andere gestapeld. En nu ligt die stapel als een berg boven op haar. Ze voelt zich bedolven onder haar eigen leugens. Ze heeft het gevoel dat ze er nooit meer onder vandaan zal kunnen kruipen. Haar moeder ook, met die stomme vragen! En altijd met zo'n lieve glimlach op haar gezicht. Bemoei je er niet mee! Ga lekker verbouwen! Eén keer probeerde Fleur om na school in de camper te blijven.

'Ik heb zo'n hoofdpijn, mam,' klaagde ze.

Fleur trok een gezicht waaraan je kon zien dat ze heel veel pijn had. Ze keek er zelfs een tikkie scheel bij – voor de zekerheid.

'Kind toch,' zei haar moeder bezorgd. 'Ga maar gauw lekker liggen. Ik zal een pilletje voor je pakken.'

'Graag,' zei Fleur met een allerzieligst stemmetje.

Ze hield de rug van haar hand tegen haar voorhoofd. De zucht die ze slaakte, kwam van heel diep. Haar andere hand drukte ze tegen haar borst. Zo had ze het tv-sterren in series al vaak zien doen. En blijkbaar deed ze het goed. Te goed. Haar moeder schrok ervan.

'Zal ik de dokter erbij roepen?' vroeg ze bezorgd.

'Nee, nee,' zei Fleur. 'Het gaat wel.'

Maar háár schrik kwam pas toen ze goed en wel op haar bed lag.

'Ik loop wel even naar de boom,' kondigde Fleurs moeder aan. 'Dan zeg ik tegen je vrienden dat je ziek bent. Dat je vandaag niet komt.'

'Nee!' zei Fleur – ríep Fleur. 'Niet doen, mam!'

'Rustig maar,' zei haar moeder. 'Het is maar hoofdpijn, hoor. Dat mogen ze toch wel weten?'

'Het zakt al,' zei Fleur. 'Misschien kan ik zo meteen toch nog even gaan spelen.'

'Geen denken aan,' besliste haar moeder. 'Je ziet spierwit. Jij blijft de rest van de dag in bed.'

'Niet tegen de kinderen zeggen,' kreunde Fleur.

'Waarom niet?'

Misschien was Fleur echt een beetje ziek, want haar hersens werkten koortsachtig. Soms komt een idee precies op het goede moment.

'Als ze horen dat ik een beetje ziek ben, willen ze misschien op bezoek komen,' zei Fleur. 'Dat wil ik niet. Niet in deze kleine camper.'

'O, is dat het,' zei haar moeder. 'Ik snap het. Je wil ze pas op bezoek hebben als ons huis af is. Als je weer je eigen kamer hebt.'

'Precies,' zuchtte Fleur. Ze voelde zich moe. Ze voelde zich alsof ze net aan iets ergs ontsnapt was. En ze had hoofdpijn. Eerlijk waar, van al dat gezeur van haar moeder had ze een bonkende hoofdpijn gekregen.

Een cadeau

'Alweer spaghetti!' Fleurs hele gezicht kreukelt van te-
genzin.
'Dat is nou al de vierhonderddrieënnegentigste keer.'
'Je overdrijft,' zegt haar vader. 'Volgens mij is het pas
de vierhonderdtweeënnegentigste keer.'
'Maakt niet uit,' zegt Fleurs moeder met een glunde-
rend gezicht. Dat iemand na zoveel kilo slierten nog
vrolijk blijft! 'Het is wel voor het laatst.'
'Mooi zo,' zucht Fleur. 'Nooit meer spaghetti.'
'Nooit meer spaghetti in de camper,' verbetert haar
moeder.
Fleur laat dat zinnetje even in haar hoofd rondgaan.
Als dat betekent wat zij dénkt dat het betekent...
Fleurs vader snapt in elk geval waar de vragende blik
op haar gezicht vandaan komt.
'Ja,' zegt hij. En nu breekt ook bij hem een brede glim-
lach door. 'Het huis is af! Morgen trekken we er de-
finitief in.'
'Echt?' Het lijkt wel alsof Fleur er niet meer op gere-

kend had dat het er ooit nog van zou komen.

'Echt, eerlijk, heus waar,' lacht haar moeder. 'De vloer, de muren, alles is af. Alles geverfd. Morgen komen de meubels.'

'En mijn kamer?' vraagt Fleur gretig.

'Worstel je nog één keer door een bordje spaghetti heen,' zegt haar vader. 'Dan gaan we na het eten meteen kijken.'

'Wauw!' roept Fleur, als ze de huiskamer binnenstapt. Wat ze ziet, is een prachtige combinatie van oud en nieuw. De hoge, brede ruimte van een oud huis. De vrolijk makende, heldere kleuren van het schilderij van Fleurs moeder aan de muur. Er staan nog geen meubels in de kamer.

'Ik kon niet wachten,' verklapt Fleurs moeder. 'Ik moest het schilderij alvast ophangen. Nu de kamer nog leeg is, is het net alsof het in een museum hangt.'

Fleur kent het schilderij al lang. Maar nu het hier hangt, lijken de kleuren wel nieuw.

'Dans' is de titel van het schilderij. Als je goed kijkt, kun je in de gekleurde vlakken inderdaad een soort danseres ontdekken. Die danseres is Fleur. Nou ja, dat zegt haar moeder. Zien kun je het niet.

'Het gaat om de beweging,' legde Fleurs moeder uit. 'De sierlijkheid. De kracht.'

Fleur gelooft het wel. Voor haar is het vooral een op-vrolijk-schilderij. Zelfs het grootste chagrijn krijgt er nog een goed humeur van, als je er maar lang genoeg naar kijkt.

'Oh!' is alles wat Fleur weet te zeggen als ze de grote woonkeuken ziet.

En bij het binnengaan van haar kamer valt haar mond alleen nog maar open. Geluid komt er een tijdlang niet meer uit. Haar kamer is precies zo geworden als ze met haar vader en moeder van tevoren op papier bedacht had. Nee, ze is nog veel mooier geworden. En wat is de kamer groot!

'Daar komt je bed,' wijst haar moeder. 'En daar je bu-reau. En daar je kast.'

Fleur moet lachen. Het was of ze haar bed en bureau en kast al had zien staan. Maar ze staat in een zo goed als lege kamer. En zelfs die vindt ze al prachtig! He-lemaal leeg is de vloer trouwens niet. Tegen de muur onder het raam staat een soort schoenendoos.

'En die doos?' vraagt ze.

'Die hoort eigenlijk op je bureau te staan,' legt haar moeder uit. 'Maar dat moet je er maar even bij denken.'

'En in die doos zit een cadeautje,' vult haar vader aan. Een cadeau? Altijd goed, vindt Fleur. Als ze de doos van de vloer oppakt, merkt ze dat hij vrij licht is. In de doos schuift iets heen en weer. Snel tilt ze het deksel eraf. In de doos ligt een stapel kleine envelopjes. Wat moet ik daar nu mee, denkt ze. Wat is dit? Postpapier of zo?

'Envelopjes,' mompelt ze. 'Eh, leuk!'

Haar vader begint te lachen. 'Het gaat om wat erin zit,' zegt hij. 'Pak er maar een uit.'

Fleur neemt een envelopje uit de doos en zet die op de grond. Met zenuwachtige vingers trekt ze een kaartje uit de envelop te voorschijn.

Uitnodiging

Eindelijk is ons nieuwe huis klaar!
Dat moeten we vieren.
Daarom geef ik zaterdag een feestje.
Kom je ook?
Je mag blijven eten.
Groetjes, Fleur.

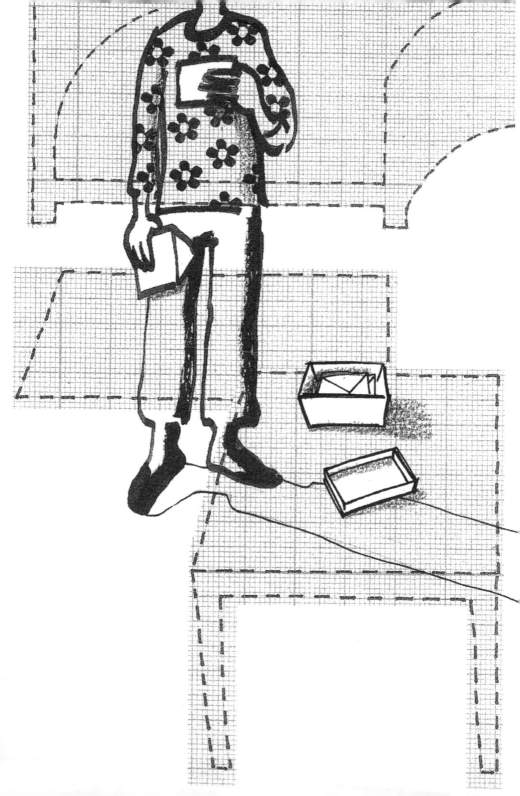

'Een feest.' Fleur kan er niets aan doen, maar het komt heel beteuterd haar mond uit. 'Goh, eh...'

Haar ouders lijken het niet te merken. Misschien zijn ze te blij om hun leuke idee. Misschien denken ze dat Fleur sprakeloos is van blijdschap.

'Ja, een feest,' benadrukt haar vader. 'Een knalfeest voor al je nieuwe vrienden, om je nieuwe huis in te wijden.'

'Leuk toch?' zegt haar moeder – alsof ze al een beetje gaat twijfelen aan het succes van haar cadeau.

'O ja, nou,' zegt Fleur sipjes. 'Wat zullen ze dat leuk vinden, mijn nieuwe, eh... vriendinnen.'

Als Fleur de volgende dag uit school komt, is haar kamer helemaal ingericht. Haar vertrouwde spulletjes hebben weer een plek. Het voelt meteen als háár kamer. Fleur had gehoopt dat ze nu niet meer urenlang in de buurt zou hoeven rond te zwerven. Maar al na een kwartiertje jaagt haar moeder haar de straat op. 'Ga nu eerst die uitnodigingen uitdelen,' zegt ze. 'Hoe eerder ze die hebben, hoe beter.'

'Ja, mam,' zegt Fleur braafjes.

Met het stapeltje enveloppen duidelijk zichtbaar in

haar hand gaat ze naar buiten. Een minuut of twintig loopt ze zomaar wat rond. Dan denkt ze dat ze weer veilig naar binnen kan. De stapel enveloppen verstopt ze onder haar trui. Als ze rechtop staat, heeft ze een buikje. Een raar, rechthoekig buikje, met scherpe punten. Daarom loopt ze een beetje voorovergebogen. Met één hand houdt ze de enveloppen op hun plaats. Fleur zet net haar voet op de onderste tree, als haar moeder uit de keuken komt.

'Ah,' zegt ze. 'En? De uitnodigingen uitgedeeld?'

'Ja, mam.' Fleur laat een lege hand zien. 'Maar nu ga ik weer naar mijn kamer, hoor. Ze is zo mooi.'

'Dat snap ik,' zegt haar moeder. Maar als Fleur nog maar één stap heeft gezet, vraagt ze: 'Wat is er? Je loopt zo krom?'

Fleur duwt haar hand nog wat steviger tegen haar maag.

'Beetje buikpijn,' jokt ze. 'Niet zo heel erg, hoor. Het gaat zo wel weer over.'

'Zeker van al die spaghetti,' lacht haar moeder. 'Nou ja, als het erger wordt, hoor ik het wel.'

'Dat is goed,' belooft Fleur.

Als ze verder de trap opgaat naar haar kamer is er van

een blij gevoel geen sprake. Het zit Fleur dwars dat ze over van alles en nog wat liegt tegen haar ouders. Daarom schaamt ze zich. De schaamte stijgt als een warme golf in haar op. En dit was nog niet de laatste leugen, weet ze. Want hoe gaat ze straks uitleggen dat ze helemaal geen nieuwe vrienden heeft?

Fleur wil er niet aan denken. Ze stampt met haar voeten op de trap om die vervelende gedachten weg te jagen. Tenslotte duurt het nog een paar dagen voor het zaterdag is. Lang genoeg om iets te bedenken. Ja, knikt Fleur tegen zichzelf. Er zal haar vast nog wel op tijd een goede smoes te binnen schieten.

Verboden voor vriendinnen

'Wat een geluk dat het zo'n mooi weer is, hè?' zegt
Fleurs moeder. 'Nu kunnen we in de tuin feesten.'
Fleur reageert niet. Ze zit diep in gedachten verzonken
in een tuinstoel.
'Joehoe, Fleur!' lacht haar moeder. 'Niet in slaap val-
len.'
'Hè, wat?' schrikt Fleur.
'Fijn dat het lekker weer is. Dat je buiten kunt feesten.'
'Ja, nou,' zegt Fleur.
Ze kijkt de tuin rond. Haar ouders hebben alle moei-
te gedaan om er iets feestelijks van te maken. Slingers
van het huis naar de heg. En van de heg naar de boom.
En van de boom weer naar het huis. Bij elke wind-
vlaag beginnen de vlaggetjes aan de slingers zachtjes
te klepperen. De boom is veranderd in een ballon-
nenboom.
Er staat een tafel met flessen drank en bekertjes. Op
een andere tafel staan schalen met cakejes en zakken
chips en snoep. De draagbare stereo-installatie staat

op een stoel bij de keukendeur. Ze zit met een lang snoer aan het huis vast. De installatie staat nog uit. 'Straks pas,' heeft Fleur zelf beslist. 'Als iedereen er is.' Ze zet haar hielen op de rand van de stoel. Ze slaat haar armen om haar knieën. Af en toe duwt ze haar gezicht tegen haar benen. Alsof ze zich wil verstoppen. 'Hoe laat is het?' vraagt ze.

'Kwart voor,' ziet haar moeder op haar pols. 'Nog een kwartiertje. Ben je zenuwachtig?'

'Neuh,' bromt Fleur.

Kon ze de tijd maar stilzetten. Kon ze de tijd maar terugdraaien. Kon ze deze laatste maand van haar leven maar ongedaan maken. Maar op de hele wereld tikken miljoenen klokken onverstoorbaar door. Met iedere tik knabbelen ze weer een tel van dit kwartiertje af. De voorbije maand ligt als een loodzware berg leugens op haar maag. Ze kijkt naar haar moeder. Voor de zoveelste keer verschuift ze de schalen met lekkers. Fleur ziet de lach op haar moeders gezicht. Nu is ze nog vrolijk. Maar hoe zal het over een halfuurtje zijn? Zal ze heel erg boos zijn? Al dat lekkers voor niks in huis gehaald...

Kon ze nog maar iets bedenken om zich te redden!

Maar verder dan de wens dat er ineens een ruimteschip zou landen, komt ze niet. Een groot ruimteschip, waar van die groene wezentjes uit te voorschijn springen. En dat die haar dan ontvoeren naar een verre planeet. Een heel verre planeet, met een groot bord erop dat je al ziet als je aan komt vliegen: 'Verboden voor Vriendinnen'. En daaronder hangt nog een klein bordje. 'En Vaders en Moeders mogen hier ook Niet Komen', staat erop.

Fleur kan haar ogen dichtknijpen en wensen wat ze wil. Als ze opkijkt, ziet ze vrolijke vlaggetjes en kleurige ballonnen en liters limonade en kilo's snoep. Het is om treurig van te worden.

Opeens springt Fleur op van haar stoel. Ze loopt met snelle passen naar de keukendeur.

'Wat ga jij doen?' vraagt haar moeder verbaasd.

'Mormel halen,' zegt Fleur.

En voor ze nog meer vragen moet beantwoorden, is ze al binnen. Ze móet Mormel hebben, voelde ze opeens. Dan heeft ze tenminste iets om zich aan vast te houden als over een minuut of vijf de storm opsteekt.

'Het is al tien over twee,' zegt Fleurs moeder. Ze heeft

voor de zoveelste keer op haar horloge gekeken. 'Waar blijven ze toch?'

'Weet ik toch niet,' zegt Fleur bits.

'Je hebt het er toch wel bij gezegd: twee uur?'

'Ja-hah.'

'Niet brutaal worden, hoor.'

'Ik zeg alleen maar ja.'

'Ja,' zegt Fleurs moeder. 'Maar het toontje waarop bevalt me niet.'

'Ja, mammie,' zegt Fleur met een kleuterstemmetje.

'Fleur!'

'Wat nou weer?'

'Dat weet je donders goed!'

'Dat weet je donders goed,' zegt Fleur haar moeder na. Op zo'n zeurderig toontje. Met haar mondhoeken naar beneden. Haar hoofd schuddend. En zachtjes. Maar niet zachtjes genoeg.

'Nu moet jij eens even goed luisteren, jongedame,' valt haar moeder uit. 'Feest of geen feest, als je zo doet, stuur ik je gerust naar je kamer. In dat brutale, chagrijnige gedoe van jou heb ik geen zin.'

'Je bent zelf chagrijnig.'

'Het is al haast kwart over. Nog geen kind te zien.

Mooie vriendinnen heb jij!'

'Hoezo?' Fleur probeert zo beledigd mogelijk te doen.

'Vriendinnen die veel te laat komen! Vriendinnen die zich niet laten zien!'

'Dat vind ik gemeen!' roept Fleur. Ze staat op uit haar stoel. Mormel drukt ze tegen zich aan. 'Je kent ze niet eens!'

'Zo bedoel ik het niet,' krabbelt haar moeder terug. Maar plotseling ruikt Fleur haar kans.

'Jij vindt dat ik stomme vriendinnen heb,' snauwt ze. 'Nou... eh... je bent zelf stom!'

Ze begint er zelfs bij te stampvoeten.

'Fleur, toe nou,' probeert haar moeder te sussen.

'Ik heb al geen zin meer in dit stomme feest. Ik ga wel tegen ze zeggen dat het feest niet doorgaat. Ik zal wel zeggen dat mijn moeder hen niet aardig vindt.'

Fleurs moeder is een paar tellen te verbaasd om te reageren. En als ze weer een beetje bij haar positieven komt, is het te laat.

'Nou ja,' zegt ze tegen zichzelf. 'Die komt zo wel weer terug.'

Fleur is met veel lawaai van dichtslaande deuren door het huis naar buiten gegaan.

Met Mormel in haar armen geklemd staat ze op de stoep voor hun huis. Ze hijgt. En het gekke is, ze voelt zich nog echt kwaad ook.

Het einde van de wereld

De straat is leeg. Vanuit de verte komt zacht verkeersgedruis aanwaaien. Fleur staat met Mormel tegen zich aangeklemd voor de deur van haar huis. Die deur is net met een flinke knal in het slot gevallen. Zo hard dat de ruiten ervan rinkelden. Het kan Fleur niks schelen. Voor haar part stort het hele huis in elkaar. Ze kijkt naar rechts. Naar links. Zelfs bij de boom is niemand te zien. Fleur loopt ernaartoe. Ze neemt grote, boze stappen. Met een bons laat ze haar billen op het bankje landen. Even kijkt ze om zich heen. Het is voor het eerst dat ze hier zit. Dat geeft haar een vreemd gevoel. Alsof ze iets doet wat eigenlijk niet mag.

Daar zitten we dan, zegt Mormel.

Fleur zegt niks terug. Ze kijkt met een donkere blik naar haar knuffel.

En nu? vraagt Mormel.

'En nu? En nu?' herhaalt Fleur hardop. 'Begin jij nou ook al?'

Wat ga je nu doen? Mormel blijft onverstoorbaar kalm.

'Ik ga nooit meer terug naar dat stomme rothuis,' mompelt Fleur. 'Nooit meer!'

Mormel houdt wijselijk zijn mond.

'Ik ga weglopen!' zegt Fleur triomfantelijk.

Waar naartoe?

'Kan me niet schelen. Weg! Ver weg!'

Waar naartoe? herhaalt Mormel. *Je loopt altijd ergens naartoe.*

'Pfoeh,' blaast Fleur. 'Ik loop weg naar, eh... naar het einde van de wereld. Dan kunnen ze me nooit meer vinden. En opbellen kunnen ze me ook niet, want ik heb geen mobieltje. Hebben ze meteen spijt dat ze me er nooit eentje gegeven hebben.'

Er is geen einde van de wereld, zegt Mormel koeltjes. *De wereld is rond. Als je maar lang genoeg loopt, kom je vanzelf weer bij deze boom uit.*

Net als Fleur een slim antwoord wil geven, meent ze vanuit haar ooghoek iemand te zien aankomen. Zou haar moeder haar nu al komen zoeken? Snel schuift ze over het bankje, tot ze aan de andere kant van de boom zit. De boom is breed genoeg om haar helemaal te verbergen. Boven haar ritselen de bladeren. Alsof de boom haar gerust wil stellen.

Dat heb je snel gedaan, zegt Mormel.

'Wat?' vraagt Fleur.

De hele wereld rondgelopen.

Fleur zegt niks. Ze is niet in de stemming voor dit soort grapjes.

En nu? vraagt Mormel.

'Zeur toch niet zo,' snauwt Fleur.

Ze heeft het nog niet gezegd of ze heeft al spijt van haar boze uitval. Ze is nog nooit boos geweest op Mormel. Wat kan die er nu aan doen? Hij wil haar altijd alleen maar helpen.

'Sorry, Mormel,' zegt Fleur.

Mormel zegt niets.

'Dat was niet mijn bedoeling.'

Mormel zwijgt.

'Jij kunt er ook niks aan doen.'

Van Mormel geen woord. Fleur zucht. Ze kijkt naar haar knuffel en wacht en luistert. Plok, hoort Fleur. Plok, plok, plokplokplok. Dit geluid komt niet van Mormel. Het komt van iets of iemand aan de andere kant van de boom.

Fleur gaat zachtjes op haar knieën op de bank zitten.
Ze schuifelt naar de rand van de boom. Langzaam
buigt ze naar voren. Net zo ver tot ze de straat in kan
kijken. Fleur verwacht inderdaad de straat te zien. In
plaats daarvan komt er een geelgroen rond ding met
grote snelheid recht op haar af. Ze schrikt, maar voor
ze haar hoofd weg kan trekken, wordt ze vol tegen
haar voorhoofd geraakt.
'Auw!' gilt ze.
Fleur grijpt naar haar gezicht. Mormel valt op de
grond. De tennisbal die Fleur raakte, vliegt van haar
voorhoofd recht omhoog. Twee, drie keer stuitert hij
naast Fleur op de bank. Dan rolt hij eraf en komt tegen Mormel tot stilstand.
'Au, auw, auw,' jammert Fleur.
Ze heeft haar handen voor haar gezicht. Er druppen
lauwe tranen tussen haar vingers door.

'O jeetje! Sorry, sorry!' roept een stem.
Fleur hoort iemands voetstappen dichterbij komen.
Hijgend komt er vóór haar iemand tot stilstand. Fleur
kijkt tussen haar vingers door omhoog. Het is Kim.
Ze heeft een tennisracket in haar hand.

'O,' zegt Kim. 'Ben jij het?'

Fleur zegt niets. Ze verbergt haar gezicht in haar handen. Maar haar tranen kan ze niet verbergen.

'Sorry, hoor,' zegt Kim zacht. 'Ik wist niet...'

'Je deed het expres,' snikt Fleur.

'Nee, echt niet,' bezweert Kim. 'Ik wilde de boom raken. Dat probeer ik altijd. Als er niemand zit, tenminste.'

Fleur weet niet of ze haar moet geloven. Wat doet het er ook toe? Pijn doet het in elk geval genoeg. Fleur wrijft over haar voorhoofd.

'Auw,' jammert ze zachtjes.

Kim laat zich naast Fleur op de bank zakken. Na een korte aarzeling legt ze een hand op Fleurs schouder.

'Doet het erg zeer?' vraagt ze.

Fleur voelt de hand van Kim op haar schouder. Alsof Kim haar wil troosten. Kim! Haar ergste vijand! Fleur raakt er totaal van in de war. Het lijkt wel alsof in één keer alle ellende van de afgelopen weken naar boven komt. De weg kwijt. Geen vriendinnen. Schoolvakken waar ze niets van snapt. Vader en moeder die ruzie maken. Een feest dat ze niet wilde.

In haar hoofd kronkelt het als een kluwen spaghetti

door elkaar heen. En het zit niet alleen in haar hoofd. Het zit in haar hele lijf. Het rommelt in haar maag. En van daaruit duwt het een grote golf verdriet omhoog. Fleur probeert niet eens om het tegen te houden. Haar schouders schokken. Haar gesnik komt van zo diep dat ze bijna geen adem kan halen. Tranen stromen uit haar ogen. Ze huilt. Met lange, kreunende uithalen schreeuwt ze haar verdriet uit. Haar verdriet is zo groot als de hele wereld. Dit gaat nooit meer over.

Gewoon

Kim schrikt zich een hoedje als ze ziet hoe Fleur in
huilen uitbarst. Dat kan toch nooit alleen van die tennisbal komen? Fleur snikt het uit. Er komen onverstaanbare geluiden uit haar keel. Verdrietgeluiden.
Kim slaat haar arm om Fleur heen. Een tijdje zitten ze
zo naast elkaar. Kim zo onbeweeglijk mogelijk. Fleur
schokkend en snikkend. Langzaam komt ze tot bedaren.

'Sorry, hoor,' snottert ze. Haar tong is dik en plak-
kerig. Haar neus loopt.

'Geeft niks,' zegt Kim. Ze geeft kalmerende klopjes op
Fleurs schouder. 'Kwam die bal zo hard aan?'

'Welnee,' geeft Fleur toe.

Ze zucht. Ze weet heel goed waardoor het komt dat ze
zo moest huilen. En het kan haar opeens niks meer
schelen dat het juist Kim is die naast haar zit.

'Ik heb alles verpest,' zegt ze. 'Thuis. Op school. Bij jullie...'

'Bij ons?' reageert Kim verbaasd. 'Hoezo bij ons?'

'Dat weet je best,' zegt Fleur. 'Jullie willen geen vriendinnen met mij zijn. Jullie vinden mij niet aardig.'

'Nou...' zegt Kim, aarzelend.

'Ik bén waarschijnlijk ook helemaal niet aardig.'

'Ach,' zegt Kim sussend. 'Dat valt wel mee, hoor. Het is alleen... Ja, ik weet niet. Je doet zo aanstellerig. Je wilt zo opvallen. Het is alsof je steeds maar wilt laten zien hoe goed je bent.'

'Hoe goed ik ben?'

'Ja. Hoe lenig je bent. En hoe goed je wel niet kunt dansen. En wat je allemaal durft te zeggen.'

'Oooh,' kreunt Fleur. Ze slaat met haar vuist tegen haar voorhoofd. Niet al te hard, natuurlijk. Het is daar al gevoelig genoeg. 'Ik wou alleen maar dat jullie me aardig vonden.'

'Misschien ben je ook wel aardig,' zegt Kim.

'Misschien?' lacht Fleur.

Kim lacht mee. 'Nou ja, je bént vast aardig. Maar daar hoef je je toch niet zo voor uit te sloven?'

Fleur schudt haar hoofd. Misschien heeft Kim wel gelijk. Misschien deed ze heel erg haar best om aardig gevonden te worden. Veel te erg. En nu zit ze hier. Op het bankje in de Verlegenstraat. Met Kim. Die Rotkim

75

– al is ze daar nu niet meer zo zeker van.

'Ik heb alles verpest,' verzucht ze.

'Welnee,' zegt Kim geruststellend. 'Je probeert het gewoon opnieuw.'

'Echt?' Er breekt weer een voorzichtig lachje op Fleurs gezicht door. 'Ik bedoel, zou dat kunnen?'

'Je kunt het proberen,' zegt Kim. 'Maar dan moet je wel gewoon doen, hoor.'

'Ik ben het gewoonste meisje van de hele wereld,' belooft Fleur. 'Let maar eens op.'

Kim laat Fleur los. Ze bukt zich om haar tennisbal op te rapen. Met de bal tilt ze ook Mormel van de grond. Ze bekijkt hem van alle kanten.

'Wat voor beest moet dit voorstellen?' vraagt ze.

'Een gibra,' legt Fleur uit. 'Een giraf met het lijf van een zebra, olifantenpoten en een varkensstaart.'

'Juist, ja,' knikt Kim. 'Zelf gemaakt, zeker?'

'Tante Mieke,' zegt Fleur. 'Die is heel onhandig, maar wel heel lief.'

'Kun jij tennissen?' vraagt Kim.

Ze staat op. Met haar racket laat ze de bal razendsnel stuiteren. Fleur heeft drie jaar op tennisles gezeten. Ze was zelfs kampioen van haar oude club.

'Eh, nee, niet echt,' zegt ze.

'Zal ik het je een beetje leren?' vraagt Kim.

'Graag,' zegt Fleur. 'Zeg maar wat ik moet doen.'

Ze zet Mormel op de bank en laat zich door Kim uitleggen hoe ze een racket vast moet houden. En hoe ze de bal moet raken. Fleur doet alsof ze alles voor het eerst hoort. Ze mept een paar keer onhandig over de bal heen. Maar ze lacht. En Kim lacht ook. Gewoner kunnen ze niet doen.

Als het goed is

'Wat ben jij aan het doen?'

Fleur staat met Mormel in hun tuin. Ze kijken omhoog naar de boom waar tussen de bladeren een paar benen uitsteekt. De benen van Fleurs vader.

'Er zit hier een nest jonge koeien en dat wil ik uithalen, nou goed,' kreunt haar vader. 'Ik ben die ballonnen aan het losmaken. Van dat zogenaamde feest van jou.'

'Ik had me vergist,' zegt Fleur snel.

Ze heeft een heel verhaal bedacht voor ze weer naar huis durfde. Als het goed is, klopt dat verhaal van begin tot eind. Als het goed is, zullen haar vader en moeder het snappen, en niet boos blijven. En het zal de allerlaatste keer zijn dat ze liegt! Als het goed is.

'Iedereen had begrepen dat het volgende week was. Ik...'

'Ga het je moeder maar uitleggen,' klinkt het van tussen de takken.

'Waar is ze?'

'Boven. Op bed.'

'Ligt ze te slapen?'

'Nee, ze heeft hoofdpijn.'

'O.'

'Ja, gek hè?' Fleurs vader duwt een paar takken opzij. Zijn gezicht piept tussen de bladeren door. 'Hoe zou het toch komen?'

'Ik kan het uitleggen,' zegt Fleur, schuldbewust.

'Dan zou ik dat maar snel gaan doen.'

'Mam,' fluistert Fleur. Ze steekt haar hoofd voorzichtig om de hoek van de deur. 'Mam? Slaap je?'

Fleur hoopt van wel.

'Nee,' klinkt het afgemeten.

Fleur zwaait de deur helemaal open. Haar moeder ligt languit op bed, boven de dekens.

'Het spijt me, mam,' begint Fleur.

'Waar ben je al die tijd geweest?'

'Op straat. Ik heb de andere kinderen gezocht. En ik heb gevraagd waarom ze niet kwamen opdagen.'

'En wat zeiden ze?'

'Ze dachten allemaal dat het volgende week was. Dat schijn ik zelf gezegd te hebben.'

'Stond er geen datum op de uitnodiging, dan?'

'Nee.'

'Dat is stom. Van ons, bedoel ik.'

'En toen heb ik steeds gezegd: volgende week.'

'Dus daarom zaten we voor niks te wachten.' Fleurs moeder duwt zich langzaam overeind.

'Ja, sorry mam, het is mijn schuld.'

'Nou, wat ik zei was ook niet zo aardig, hè? Over je vriendinnen, bedoel ik.'

'Ach,' zegt Fleur.

Met haar hand maakt ze een wegwerpgebaar. Laten we er maar over ophouden, bedoelt ze daarmee.

'En nu komen ze volgende week?' vraagt Fleurs moeder.

'Als het nog mag van jou.'

'Tuurlijk,' zegt Fleurs moeder. 'We jagen je vader gewoon nog een keer de boom in.'

Feest

De eerstvolgende keer dat er weer een groepje bij de boom stond, was het wel heel spannend geweest. Fleur had eerst goed gekeken of Kim er wel bij was. Gelukkig, dacht ze, toen ze haar zag staan. Fleur had niet gedacht dat ze ooit blij zou zijn haar te zien. Zo kalm mogelijk was ze naar het groepje toe gewandeld. Ze hoopte maar dat ze er kalm uitzag, in elk geval. Want in haar borst ging haar hart als een razende tekeer.

'Hoi,' had Kim gezegd, toen ze vlakbij was.

Heel achteloos. Heel gewoon. Fleur wist er een glimlach uit te persen en knikte. De hele tijd was ze zwijgend bij het groepje blijven staan. Ze waren een afspraak aan het maken over wat ze na het eten nog zouden gaan doen.

'Zeg jij eens iets,' zei Rik tegen Linda.

'Weet ik het,' zei Linda.

'Weet ik het... Weet ik het...,' herhaalde Rik plagerig.

'Nee, daar is niks aan.'

'Voetballen,' stelde Thijs voor.

'Hè, nee,' zei Anna meteen. 'Dat is alleen leuk voor jongens.'

'Dat is omdat jullie er niks van kunnen,' zei Thijs.

'Laten we gaan touwtjespringen,' stelde Anna voor.

'Ja, dag,' zei Rik. 'Dat ga ik niet doen. Dat is voor meisjes.'

'Dat is omdat júllie er niks van kunnen,' zei Kim.

'Wat kunnen we dan wel met z'n allen doen?' vroeg Thijs.

Fleur had al die tijd braaf gezwegen en afgewacht. Maar nu vond ze het tijd om ook wat te zeggen.

'Verstoppertje,' zei ze zacht.

'Och jee,' zei Rik. 'Kikkerbil zegt ook iets.'

'Goed idee!' zei Kim. 'Verstoppertje kunnen we met z'n allen doen.'

'Pfff,' sputterde Rik nog.

'Dan blijf jij toch lekker thuis,' lachte Kim.

En zo werd er voor het eerst naar Fleur geluisterd. Wel met een omweggetje via Kim, maar toch.

Diezelfde avond was het al veel makkelijker geweest om aan te sluiten. Ze had zich op de achtergrond gehouden. En bij het verstoppertje spelen had ze ervoor gezorgd dat ze hem ook wel eens was. Eigenlijk ging het vanaf dat moment vanzelf.

Fleur hield zich op de achtergrond. Kim deed aardig tegen haar. En dus deden de anderen ook aardig tegen haar. Het was nog maar twee dagen later dat Anna tegen haar zei: 'Wel leuk, eigenlijk, die gekleurde plukken in je haar.'

'Dankjewel,' had Fleur gezegd. 'Het zou jou ook best staan.'

Maar daar had Anna zo haar twijfels over.

Nog eens twee dagen later had Fleur het aangedurfd. Ze had de uitnodigingen opnieuw onder haar trui meegesmokkeld. Naar buiten, deze keer. En ze had ze uitgedeeld en erbij gezegd dat het deze zaterdag was. Iedereen was meteen enthousiast. En iedereen beloofde te komen, als hij kon. En mocht.

En dus is het voor Fleur opnieuw spannend die zaterdagmiddag. De slingers hangen weer. Aan de boom hangt een trosje ballonnen. ('Zo is het ook goed,' had haar vader gezegd. 'Ik kan wel in die boom gaan wonen!') En op de tafels staat eten en drinken klaar.

'Twee uur,' zegt Fleurs moeder, na een blik op haar horloge. 'Ik ben...'

Wat ze is, zal Fleur nooit te weten komen, want op datzelfde moment gaat de bel. Nog sneller dan ze een week geleden boos wegliep, is ze bij de voordeur. De hele groep staat op de stoep. Glunderende gezichten. Sommigen hebben zelfs hun mooiste kleren aan, ziet Fleur. En ze hebben een cadeau voor haar gekocht. Een verzamel-cd met de laatste hits.

'Dat dansnummer van jou staat er ook op,' zegt Kim.

'Gaaf!' vindt Fleur. 'Kom maar gauw mee de tuin in, alles staat klaar.'

Kim loopt naast Fleur door de kamer, richting tuindeuren. Ze ziet het kleurige schilderij en blijft staan. Een poosje bestudeert ze het doek. Ze houdt er haar hoofd zelfs in allerlei standen scheef voor.

'Ja, ja,' zegt ze dan. Ze kijkt naar Fleur. 'Gemaakt door tante Mieke, zeker?'

'Nee,' zegt Fleur. 'Door mijn moeder!'

'O,' schrikt Kim. 'Eh... mooi!'

Het wordt een echt feest. Iedereen lijkt het bijzonder naar zijn zin te hebben. Er wordt gelachen en geroepen. Er wordt zelfs gedanst. Fleurs vader en moeder houden zich netjes op de achtergrond. Maar één keertje dreigt het even mis te gaan. Dat is als Linda het dansnummer opzet.

'Hé!' roept Fleurs vader. 'Dat nummer ken ik.'

Hij begint al met zijn armen en benen van die rare wiebelbewegingen te maken. Het ziet er werkelijk niet uit. Gelukkig kan Fleur hem met een indringende, strenge blik tot bedaren brengen. Hij trekt zijn hoofd tussen zijn schouders en gaat snel stilletjes zitten.

Halverwege de middag staat Fleurs moeder ineens voor haar neus. Samen met Kim en Linda en Guusje en Anna.

'Ik laat hun even jouw kamer zien,' zegt Fleurs moeder. 'Dat wilden ze graag.'

'Ik ga mee,' zegt Fleur meteen.

In een rijtje beklimmen ze de trap.

Fleurs kamer is groot, maar met zoveel personen is ze in één keer aardig vol. Er klinken bewonderende geluiden.

'Goedgekeurd,' zegt Anna met een lachje.

Een voor een verlaten ze Fleurs kamer weer. Ten slotte blijven Fleur en haar moeder en Kim nog over. Kim

wijst op een plankje aan de muur, waarop een rijtje
bekers glimt.
'Dat zijn er heel wat,' bewondert Kim.
'Allemaal eerste prijzen,' zegt Fleurs moeder trots.
'Heeft Fleur gewonnen met tennissen. Ze was twee
jaar achter elkaar clubkampioen.'
Kim kijkt Fleur aan. Die voelt zich rood worden.
'Kun jij tennissen?' vraagt Kim, alsof ze die vraag voor
het eerst stelt.

'Ach,' zegt Fleur. Ze weet niet waar ze kijken moet.
'Een beetje. Gewoon.'
Aarzelend kijkt ze op. Dan ziet ze dat Kim in de lach schiet.
'O, gewoon!' zegt Kim. 'Nee, dan begrijp ik het. Gewoon is goed.'
'Goed genoeg,' geeft Fleur toe.
En lachend lopen ze achter elkaar aan de kamer uit.
Fleurs moeder ziet het verbaasd aan. Ze snapt niet wat er zo lollig is. Toch glijdt er een lach over haar gezicht.
'Het zal wel,' mompelt ze schouderophalend. 'Een vriendinnenpretje, waarschijnlijk.'